蠟筆小新

臼井儀人

爆笑巨星

Volume 25

喔喔

爆笑眞時代劇

春日部・黃門

很久很久以前，春日部這個地方住著一位統一全國的將軍。
呼哇—
野原家　第十五代將軍
新之助
將軍！您有事嗎？
行禮
啪！
啪！
我閒得發慌，有什麼好玩的可以做嗎？
嗯—
您要是覺得沒事情做，就閒閒躺著吧！
喔——也對，閒閒躺著或許很有意思。
閒閒躺著
還是很無聊。
是呀！

哈哈哈哈！新之助將軍，您會閒著沒事做，是因爲天下太平安樂的關係，這樣不是很好嗎？
那我們發起戰爭好了。
不行呀！
可是…天下眞的太平嗎？你調查過了嗎？
是沒有直接去…
這樣怎麼可以！
好！我要去環遊全國，親眼看看天下是否眞的太平！
咦──？
如果看到有困難的人，我們就出手幫助他！
風間！正男！快去準備！
是──！
就這樣，新之助將軍一行人展開了他們的旅程。
噠噠…噠噠噠…啦啦啦啦…啦啦啦啦…噠噠噠…世界眞是妙妙妙！
這是什麼歌呀？
呀──！
是女人的驚叫聲！
阿瀧！
呀──！
好帥哦！
還眞是難以分辨呀！
天下終究還是太平呀！
呀──！
這次的叫聲絕對有問題！
老子我餓了，把麵拿來給我吃！
不行！這些麵是要送去給客人的！
誰管妳！拿來！

大膽鼠輩！給我住手！
你是誰呀——？
可惡！竟敢罵我鼠輩——
同志蟲！
什麼？
震怒
你怎麼會知道的——
就這樣，接下來交給你們啦！
轉身
咦？怎麼這樣！您只是激怒他們而已呀！
好吧——既然如此…
嗶——！
您叫我們嗎？
去把那兩個小混混解決掉！
咚…
鏘——！
喝呀——
哇呀！
她們是誰呀？
爲了預防萬一，小的找了忍者來保護您！
妳叫什麼名字？
小的叫娜娜！
人家叫小忍！
沒妳的事，妳退下吧！
這是我的大哥大號碼，沒事的時候打來聊聊吧！
新之助將軍！
謝謝您幫小女子度過難關，嗯…，恩公不嫌棄的話，請到小店一坐，吃個便飯。
嗯，就這麼辦吧。
美味麵食小舖
鶴屋

謝謝各位從街頭混混手中救了小女，眞是太感謝了！
鶴屋老闆 鶴吉
這些日子來，無賴集團蛇造一家老是來找我們麻煩。
這傢伙看起來也是和蛇造一家一夥的！
噓——！
一定有什麼原因吧，說來聽聽吧！
風間，我看我們還是不要自找麻煩。
說要幫助有困難的人是你呀——！
小聲
其實，這附近有一間店名叫做黑心屋的麵店。
一聽就知道……
是個大壞蛋！
黑心屋一直視小店爲眼中釘，而且以味道來說，小店更勝一籌，所以客人與日俱增。
這樣反而引來他們的不滿，所以黑心屋就聯合蛇造一家，不斷來找麻煩。
他們對你做了什麼？
老是打無聲電話到我的大哥大，要不然就是留一些惡言相向的留言。
哼！長得像個大混混，還開麵店！
無聊國中生的作風！
看來這個事件一定什麼內幕……
叫嬰兒車呆七去查查看！
是
請問客倌是…？
我不過是在春日部開小錄影帶店的小老頭。
我們正在旅行啦！哈哈哈哈！
高級麵店
黑心屋

鶴屋那邊辦得如何了？
這個嘛…他們實在是太頑強了，短時間內還是沒辦法將他們趕走！
代官　惡玉凶八郎
黑心屋
你們辦事效率太差了！我自己處理好了！不趕快把他們趕離那塊土地，就無法繼續我們的遊樂場計劃啦！
計劃實行之時，請大人不要忘了黑心屋的好處！
我當然知道！
你還真是死要錢呀！
大人不也一樣嗎？
哇哈哈哈哈！
哈哈哈哈！
説好要畫的入浴場景
是呆七的嬰兒車！
喀啦 喀啦 喀啦
裡面還有信。
新之助將軍，此事件與代官惡玉大人有關！
是嗎？很好！下一頁就是精彩大結局了！
對了！什麼叫精彩大結局呀？
將軍先去休息吧。
隔天
爹爹！代官和黑心屋的人在外面…
鶴屋店主鶴吉接旨！因爲有多人吃了你店裡的麵之後，腹痛如絞，本官懷疑鶴屋是流行病的起因，勒令停業並沒收充公處分！
大人，您不能這樣隨便栽贓呀——
好精彩的雙口相聲…
鶴吉！你不需要聽這些人的話！你店裡根本沒有傳染什麼流行病！
怎麼？小鬼，你又是誰？

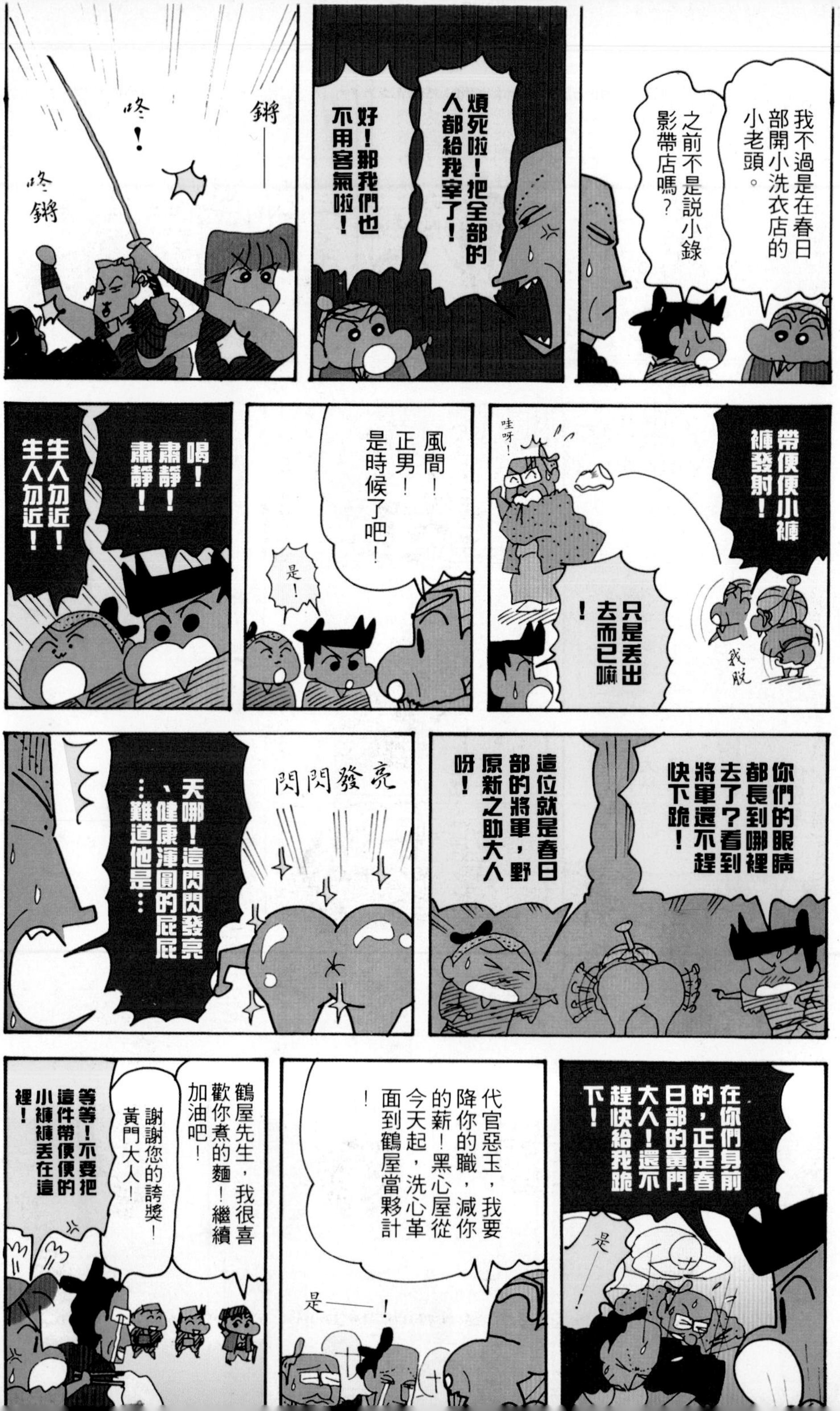
我不過是在春日部開小洗衣店的小老頭。
之前不是說小錄影帶店嗎？
煩死啦！把全部的人都給我宰了！
好！那我們也不用客氣啦！
鏘——
咚！
咚
鏘
帶便便小褲褲發射！
哇呀！
只是丟出去而已嘛！
我脫
風間！正男！是時候了吧！
是！
喝！肅靜！肅靜！生人勿近！生人勿近！
你們的眼睛都長到哪裡去了？看到將軍還不趕快下跪！
這位就是春日部的將軍，野原新之助大人呀！
閃閃發亮
天哪！這閃閃發亮、健康渾圓的屁屁……難道他是……
在你們身前的，正是春日部的黃門大人！還不趕快給我跪下！
是！
代官惡玉，我要降你的職，減你的薪！黑心屋從今天起，洗心革面到鶴屋當夥計！
是——！
鶴屋先生，我很喜歡你煮的麵！繼續加油吧！
謝謝您的誇獎！黃門大人！
等等！不要把這件帶便便的小褲褲丟在這裡！